あれ　ぼく　なにか　まちがっていたのかな？
ぼくの　やっていたことって
みんなの　生きるよろこびには　なっていなかったの？

つむぐ つながる 共に。

絵　やまだ つねこ
文　﨑山ひろみ

生きる　って　なんだろう
こきゅうを　すること？
ごはんを　たべること？
よる　たくさん　ねむること？

いま　ぼくは　生きている
ぼくじしんは　生きているって　かんじている

でも…
ぼくが　まいにち　あう　おじいちゃん　おばあちゃんは

生かされている　っていうんだ　さみしそうなかおで

いかされている!?

ぼくたち　かいごふくししは
おじいちゃん　おばあちゃんの
まいにちの　おせわをすることが　しごと

かいご（しごと）の　きほんは　じりつしえん
じりつしえん？
じりつしえんって　しっている？
じりつしえんって　かんがえたことがある？

じりつしえんってね
すこし　むずかしくなるけど

介護保険法（目的）第一条

この法律は、加齢に伴って生ずる心身の変化に起因する疾病等により要介護状態となり、入浴、排せつ、食事等の介護、機能訓練並びに看護及び療養上の管理その他の医療を要するもの等について、これらの者が尊厳を保持し、その有する能力に応じ自立した日常生活を営むことができるよう、必要な保健医療サービス及び福祉サービスに係る給付を行うため、国民の共同連帯の理念に基づき介護保険制度を設け、その行う保険給付に関して必要な事項を定め、もって国民の保険医療の向上及び福祉の推進を図ることを目的とする。

介護保険法（介護保険）第二条

前項の保険給付は、要介護状態の軽減又は悪化の防止に資するよう行われるとともに、医療との連携に十分配慮して行わなければならない。
第一項の保険給付の内容及び水準は、被保険者が要介護状態となった場合においても、可能な限り、その居宅において、その有する能力に応じ自立した日常生活を営むことができるように配慮されなければならない。

広辞苑　じりつ【自立】

他の援助や支配を受けず自分の力で身を立てること。ひとりだち。

広辞苑　じりつ【自律】

①自分で自分の行動を規制すること。外部からの制御から脱して、自身の立てた規範に従って行動すること。
②
㋐カントの倫理思想において根本をなす観念。すなわち実践理性が理性以外の外的権威や自然的欲望には拘束されず、自ら普遍的道徳法をたててこれに従うこと。
㋑一般に、何らかの文化領域が他のものの手段でなく、それ自体の内に独立の目的・意義・価値を持つこと。

よく　いみが　わからないよね
これで　わかる！　できる！
そんなひと　いるはずないよ

ぼくも　じつは　わからなかったんだ
なにが　じりつしえんで…
なにが　いいことなのか…
なにが　いけないことなのか…

ぼくは　なにを　すればいいのか…

きょうは　しせつの　おじいちゃん　おばあちゃんと
おはなみに　いきました
なかなか　おそとに　いくことができない　ひとたち　だったので
「　ひさしぶりに　こられて　よかったぁ　」
「　なつかしい　ばしょね　」
みんなの　えがおが　みられて　ほんとうに　うれしかったです
あしたからも　がんばろう

<u>○がつ　○にち</u>

きょうは　しせつの　みんなで　ボーリングゲームを　しました
「　こんなに　たのしかったのは　ひさしぶり　」
「　つぎこそは　いちばんに　なるぞ　」
みんな　とっても　たのしそう

あるひ　しせつの　おばあちゃんが　ぼくに　こういった

「　まいにち　たのしく　すごさせてくれて
　　ほんとうに　ありがとうね　」
「　きょうも　たのしかった
　　でも　あしたには　てんごくの　おじいさんのところに
　　いきたいな　はやく　おむかえ　こないかしら　」

あれ　ぼく　なにか　まちがっていたのかな？
ぼくの　やっていたことって
みんなの　生きるよろこびには　なっていなかったの？

とある　デイサービス　での　いちにち

「　あれ　ひさしぶり！
　　あんた　このまえ　やすんどったでしょう？どうしたの？　」

「　むすめが　こっちに　きとったんだわ　ごめん　ごめん！　」

「　やっぱ　あんたがおらんと　さみしいわー　」

「　ほんとう？
　　わたしも　あんたにあうと　げんきがもらえる！　」

こんなに　たくさんのせんたくもの　どうしよう…

「　はいはい　こっちにもってきなさいな

　　こんなの　私らでやるで　いいよ　」

「　あんたは　ほかのこと　やってきなさい　」

ほんとうに　ありがとうございます

「　なんだかんだ　わたしらがおらんと　いかんわね　」

「　ここで　かいた絵　どこかで　はっぴょうできないかしら？　」
そうだ！　こてんを　ひらいてみますか？？

「　おともだちも　かぞくも…
　　たいせつなひとが
　　みんな　みにきてくれて…　」
「　わたしは　みんなに　ささえられて　みまもられて　」

「　あぁ　しあわせ　」

「　さ！　つぎは　なにを　しようかしら？　」

絵が私に生きる力をくれました

ぼくは　わかった
じりつしえんの　ほんとうの　いみが
すごく　かんたんで　あたりまえのこと
まいにち　できなくても
いちじかんでも　いっぷんでも　そういうじかんを　つくれたら

ひとりで　生きられる　ことが
じりつ　ではなくて
まわりの　ひとと
つながりながら
たすけたり
たすけてもらったり
ありがとうって
いったり　いわれたり
じぶんに　じしんをもって
生きる　ってことなんだ
だから　じりつしえんが
たいせつなんだ

そうか

だから　ぼくは　生きている

あとがき

　現在、日本の少子高齢化は加速し続けています。団塊の世代が後期高齢者に達する2025年には、人口の3人に1人が高齢者という時代が到来します。しかし、高齢者を支える介護職の担い手が追い付かず、人手不足は深刻な問題です。その問題を解決するためには、「介護」に対して広く社会に浸透している「きつい」「汚い」「つらい」などの悪いイメージを前向きで明るいイメージに変えていく必要があると考えています。

　私たちは介護・福祉啓発活動として、「本当の介護の志事」を多くの人に届けるべく、誰もが理解できる介護を描く絵本をつくりました。

　日本が抱える社会問題に当事者を含む関係者と共にプロジェクトチームを組み、介護現場の生の声である、生き甲斐を支援する志事だという真実がこれからの日本を支えていく世代の方々に届くことを願っています。

2020年4月　吉田 貴宏

「つむぐ　つながる　共に。」
制作プロジェクトチーム　スタッフ

絵：山田恒子　YAMADA TSUNEKO（デイサービスセンター西日置フラワー園ご利用者）

色：中倉桃果　NAKAKURA MOMOKA（デイサービスセンター西日置フラワー園介護職員）

文：﨑山ひろみ　SAKIYAMA HIROMI（特別養護老人ホームあんのん介護主任）

渉外：松本広樹　MATSUMOTO HIROKI（ケアハウスほっとはっと生活相談員）

編集・ブックデザイン：渡邉一央　WATANABE KAZUHISA（フラワー園デイサービスセンター管理者）

監修：吉田貴宏　YOSHIDA TAKAHIRO（特別養護老人ホームあんのん施設長）

〈プロフィール〉

やまだつねこ（山田恒子）
1925年（大正14年）生まれ　95歳

デイサービスセンターに通う中で、「絵を描く」という新しい生き甲斐を見い出し、自分らしく生きることを体現している。「みんなに喜んでもらえたら嬉しい」と個展開催も継続中。

つむぐ つながる 共に。

2020 年 5 月 11日　初 版 発 行
2020 年 6 月 5 日　第2刷発行

絵　　やまだつねこ
文　　﨑山ひろみ

発 行　介護・福祉啓発活動事業 NEXT INNOVATION
発 売　株式会社　三恵社
　　　　〒462-0056 愛知県名古屋市北区中丸町2-24-1
　　　　TEL 052-915-5211　FAX 052-915-5019

この本に関するご意見・ご感想・お問合せは下記までお願い致します。

介護・福祉啓発活動事業 NEXT INNOVATION

〒454-0005 愛知県名古屋市中川区西日置町十丁目107番地
TEL　　052-363-8722
MAIL　info@nextinnovation-nagoya.com
WEB　http://nextinnovation-nagoya.com
代表　　吉田貴宏